First published by Brockhampton Press Ltd
20 Bloomsbury Street
London WC1B 3QA

© Brockhampton Press Ltd, 1996
© Savitri Books Ltd (all illustrations), 1996

ISBN 1 86019 2610

Conceived and designed by Savitri Books Ltd
Printed and bound in Great Britain.

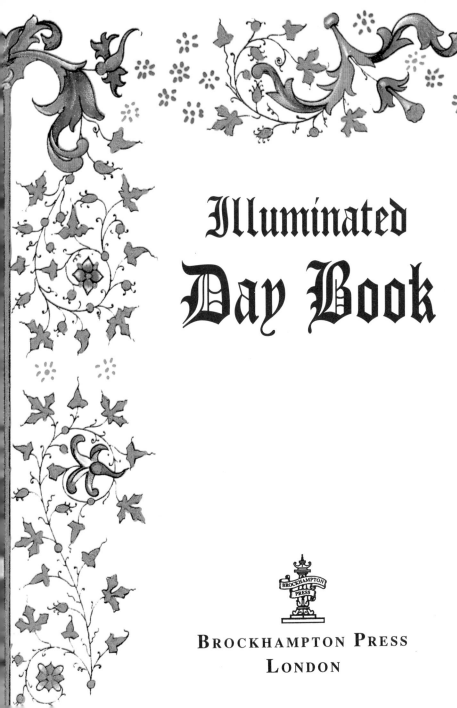

# Illuminated
# Day Book

BROCKHAMPTON PRESS
LONDON

# January

..........................................................................................

1

..........................................................................................

2

..........................................................................................

3

..........................................................................................

4

5

6

7

8

9

10

11

12

13

14

15

16

17

18

19

20

21

22

23

24

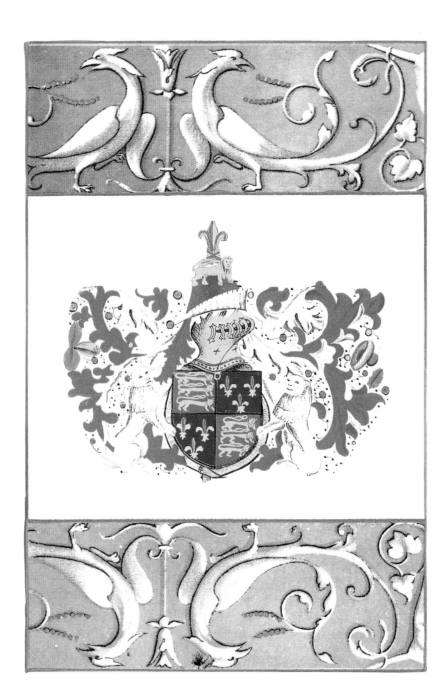

25

26

27

28

29

30

31

# February

1

2

3

4

5

6

7

8

9

10

11

12

13

14

15

16

17

18

19

20

21

22

23

24

25

26

27

28/29

Notes

# March

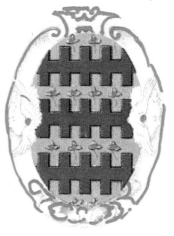

......................................................................................................................................
1

......................................................................................................................................
2

......................................................................................................................................
3

......................................................................................................................................

4

5

6

7

8

9

10

11

12

13

14

15

16

17

18

19

20

21

22

23

24

25

26

27

28

29

30

31

# April

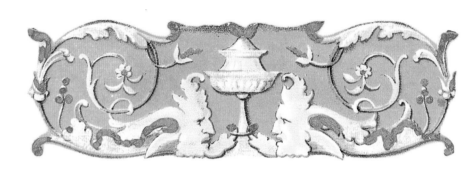

1

2

3

4

5

6

7

8

9

10

11

12

13

14

15

16

17

18

19

20

21

22

23

24

25

26

27

28

29

30

## Notes

# May

.................................................................................................

1

.................................................................................................

2

.................................................................................................

3

.................................................................................................

4

5

6

7

8

9

10

11

12

13

14

15

16

17

18

19

20

21

22

23

24

25

26

27

28

29

30

31

# June

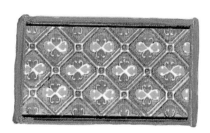

1

2

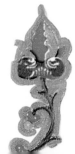

3

4

5

6

7

8

9

10

11

12

13

14

15

16

17

18

19

20

21

22

23

24

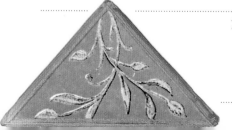

25

26

27

28

29

30

Notes

# July

1

2

3

4

5

6

7

8

9

10

11

12

13

14

15

16

17

18

19

20

21

22

23

24

25

26

27

28

29

30

31

# August

1

2

3

4

5

6

7

8

9

10

11

12

13

14

15

16

17

18

19

20

21

22

23

24

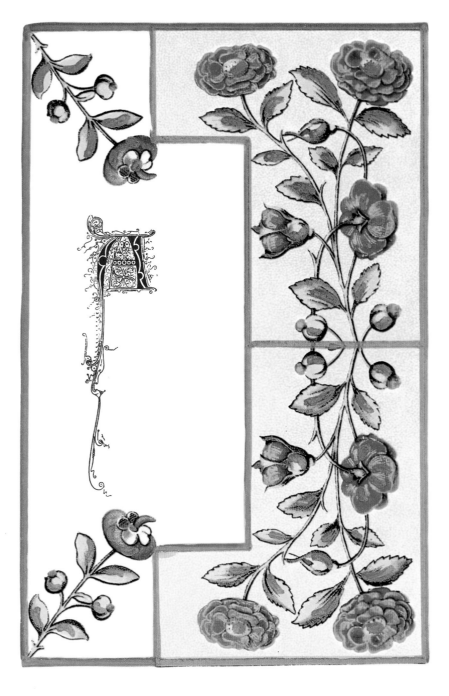

25

26

27

28

29

30

31

# September

1

2

3

4

5

6

7

8

9

B

10

11

12

13

14

15

16

17

18

19

20

21

22

23

24

25

26

27

28

29

30

Notes

# October

1

2

3

4

5

6

7

8

9

10

11

12

13

14

15

16

17

18

19

20

21

22

23

24

25

26

27

28

29

30

31

# November

1

2

3

4

5

6

7

8

9

10

11

12

13

14

15

16

17

18

19

20

21

22

23

24

25

26

27

28

29

30

Notes

# December

1

2

3

## DECEMBER

4

5

6

7

8

9

10

11

12

13

14

15

16

17

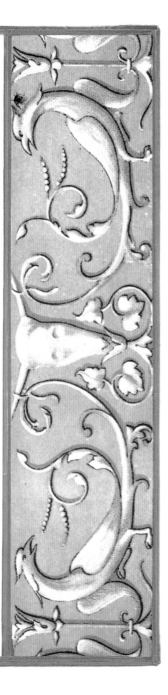

18

19

20

21

22

23

24

25

26

27

28

29

30

31